ISBN 0-7172-3172-0

Dépôt légal 4e trimestre 1997
Bibliothèque nationale du Québec

Imprimé aux États-Unis

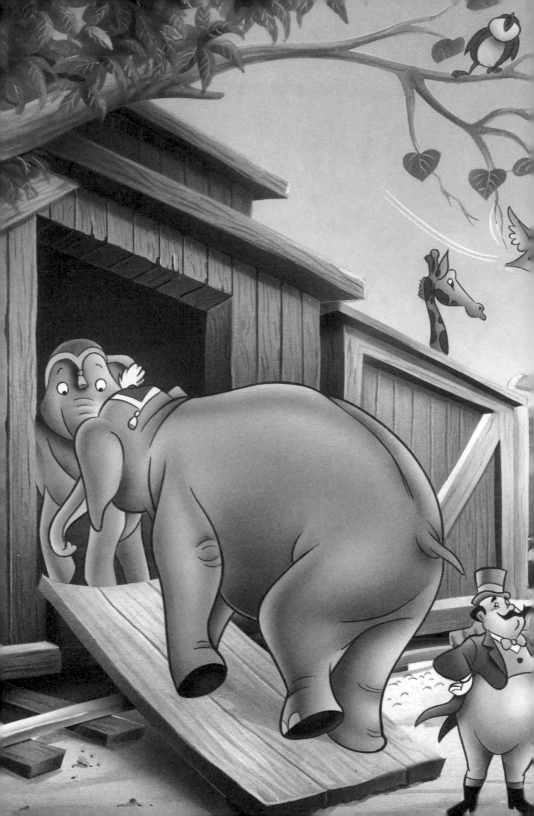

Le printemps était là. C'était le signe que le temps était venu pour le train du cirque d'entreprendre sa grande tournée des villes.

Il y avait de la frénésie dans l'air. Tout le monde était joyeux. Mais la plus grande joie qu'allait apporter le printemps restait encore à venir.

Tard une nuit, une volée
de cigognes survola les tentes
du cirque. Chaque cigogne
portait un paquet spécial.

Les cigognes laissèrent
tomber les paquets doucement,
car à l'intérieur de chacun se
trouvait un bébé animal!

Les mamans étaient
heureuses, car leurs
bébés étaient enfin
arrivés.

Mais une des mamans était triste.

Jumbo, l'éléphante, avait attendu toute la nuit, mais il n'y avait pas de paquet pour elle. Elle leva une dernière fois les yeux vers le ciel avant de monter à bord du train du cirque.

«J'espère que mon bébé arrivera bientôt», pensa-t-elle.

Pendant ce temps, perchée très haut sur un nuage, une dernière cigogne consultait sa carte. Elle tentait de trouver le train du cirque.

«Le voilà!» dit-elle. Elle saisit le lourd paquet et s'envola en direction du train.

«Madame Jumbo?» appela la cigogne.

«Par ici!» répondirent les autres éléphantes. «Venez, Madame Jumbo vous attend!»

«Signez ici, s'il vous plaît», dit la cigogne à Jumbo.
Jumbo était tellement excitée! Elle avait hâte de
voir son bébé.

«Allez, vite! Ouvre-le!» lui dirent les éléphantes.

Jumbo détacha le nœud. Du sac jaillit un
éléphanteau aux grands yeux bleus.
Jumbo aimait déjà son bébé.
Puis, le petit bébé
éléphant éternua.
«AT-CHOUM!»
Ses énormes
oreilles se
soulevèrent!

Les éléphants se moquèrent de l'éléphanteau.
«Quelles drôles d'oreilles il a!» dirent-ils.
«Nous allons l'appeler Dumbo.»

Pour Jumbo,
cela lui était
bien égal.
Dumbo était
son bébé et
elle l'aimait
beaucoup.

Le train du cirque arriva bientôt dans la
première ville. Tout le monde aida à monter
les tentes — même les éléphants!

Le lendemain, les animaux du cirque prirent
part à un défilé dans les rues de la ville.

Dumbo essaya de suivre les autres éléphants.
Mais il trébucha sur ses oreilles et atterrit dans
une flaque de boue!

Tous les enfants éclatèrent de rire.

Un peu plus tard, des garçons se mirent
à taquiner Dumbo et à lui tirer les oreilles.
   Jumbo s'amena pour protéger son
bébé. Elle frappa un des
garçon avec sa trompe.
   «Au secours!» cria
le garçon.

Le maître de piste entendit l'appel au secours
du garçon. «Arrêtez cet éléphant!» cria-t-il.
Quelques instants plus tard, Jumbo était
ligotée, puis enfermée dans une cage.

Ce soir-là, les éléphantes tinrent Dumbo responsable de ce qui était arrivé. Elles ne voulaient pas lui parler, ni même le regarder.

Pauvre Dumbo! Il s'ennuyait de sa maman.

Timothée, la souris du cirque, trouvait que Dumbo faisait pitié. Elle décida de donner une leçon aux éléphantes.

«HOU!» cria-t-elle.

Les éléphantes poussèrent un cri d'horreur! Elles avaient toutes peur de la petite souris.

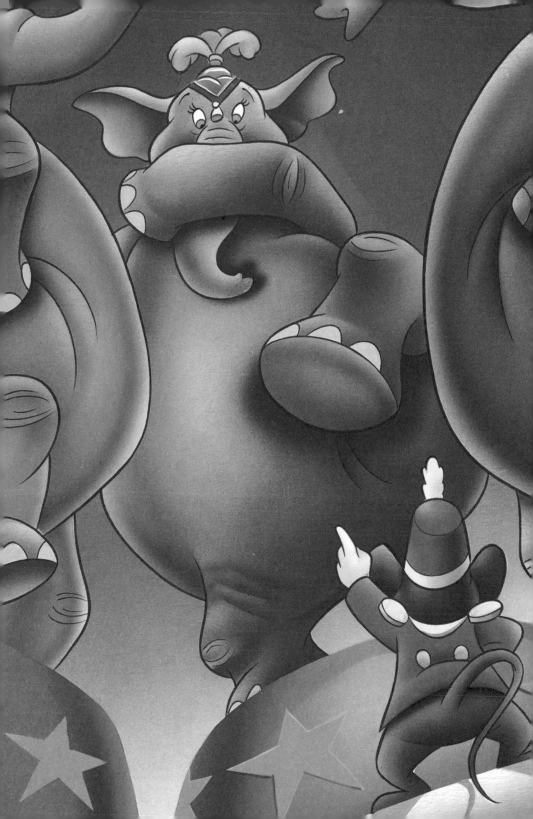

Dumbo eut peur de Timothée, lui aussi. Il se cacha dans un tas de foin.

Timothée offrit une arachide à l'éléphanteau. «N'aie pas peur», dit la souris du cirque. «Je les *aime* tes oreilles, moi. Et je vais t'aider à faire libérer ta maman.» En entendant cela, Dumbo sut qu'il venait de se faire une amie.

Lorsque Dumbo et Timothée passèrent
devant la tente du maître de piste, ils
l'entendirent parler d'un nouveau numéro
des éléphants.

«J'ai une idée», murmura Timothée. Et elle
se précipita dans la tente. Timothée était
sûre que si Dumbo devenait une vedette,
le maître de piste libérerait Jumbo.

Une fois que le maître de piste fut bien endormi, Timothée lui chuchota à l'oreille, «Votre nouveau numéro des éléphants mettra en vedette Dumbo!»

«Dumbo . . . Dumbo . . . », répéta le maître de piste. Puis il se réveilla. «J'ai trouvé!» s'écria-t-il. «Dumbo sera la vedette du numéro des éléphants!»

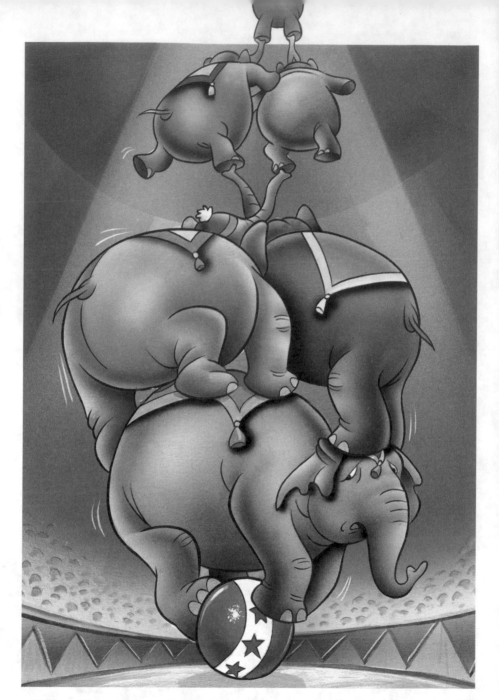

Lors du spectacle le lendemain soir, un éléphant
se tint sur un ballon tandis que d'autres tentaient
de se tenir en équilibre sur son dos.

«Arrêtez de bouger!» grommelait l'éléphant du bas.

Puis ce fut au tour de Dumbo
d'entrer en scène. Il devait
bondir dans les airs et atterrir
sur le plus haut éléphant.

Dumbo était très nerveux
lorsque le maître de piste
l'appela. Dumbo courut sur
la planche et bondit . . .

. . . directement sur le ballon. Dumbo avait
trébuché sur ses longues oreilles. BOUM!
Tous les éléphants s'écroulèrent au sol!

Affolés, les spectateurs prirent la fuite.
Quelques instants plus tard, le Grand
Chapiteau s'effondrait à son tour.

Les éléphantes étaient très fâchées.

«Dumbo est une vraie honte pour
les éléphants!» se plaignirent-elles.
«Il devrait être un clown!»

Alors le maître de piste
fit de Dumbo un clown.
Mais l'éléphanteau était
malheureux dans son rôle
de clown. Il devait sauter
d'un grand édifice dans
une petite cuve.

«Courage», dit Timothée en aidant Dumbo
à enlever le maquillage de clown.
«Nous allons voir ta mère.»
Les deux amis allèrent
voir Jumbo.

DANGER

DÉFENSE
D'ENTRER

ACCÈS
INTERDIT

Jumbo les entendit arriver. Elle courut à la
fenêtre de sa cage. Jumbo essaya de voir son
petit, mais une solide chaîne la retenait. Elle
ne réussit qu'à tendre sa trompe à Dumbo.

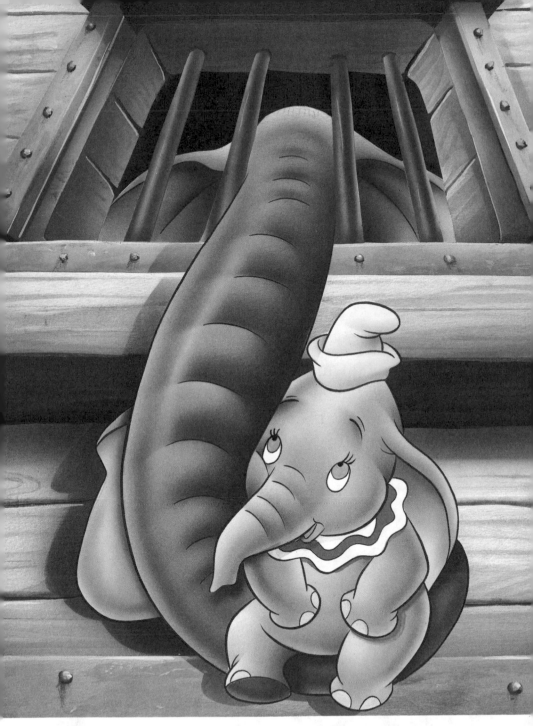

La maman de Dumbo lui chanta une berceuse.
Dumbo s'ennuyait tellement d'elle! Il aurait voulu
rester avec elle toute la nuit.

Les clowns faisaient la fête lorsque Dumbo et
Timothée revinrent. Grâce à Dumbo, leur numéro
avait été un grand succès, et les clowns étaient
très heureux.

Dumbo, lui, n'était pas heureux. En fait, il
pleura tellement qu'il en eut le hoquet.

«Bois un peu d'eau», lui dit Timothée. Elle ne savait pas que les clowns y avaient versé quelque chose qui lui donnait un drôle de goût. Après en avoir bu un peu, Dumbo se sentit tout drôle. Il voyait deux Timothée.

«Qu'est-ce qu'elle a cette eau?» se demanda Timothée. Elle en prit une gorgée et se sentit elle aussi tout drôle.

Le lendemain matin, des corbeaux
trouvèrent des visiteurs plutôt
inhabituels dans leur arbre.
Dumbo et Timothée dormaient
tous deux sur une haute branche.
«Avez-vous déjà vu pareille chose?»
se demandèrent les corbeaux.

Timothée se réveilla.
«Ne regarde pas en bas, Dumbo!»
cria-t-elle, en s'agrippant solidement.
Mais Dumbo regarda.

PLOUF! Les deux amis tombèrent dans l'eau.
Les corbeaux pouffèrent de rire. Quelle matinée
agréable!

Timothée ne trouvait pas
cela drôle. «Allez-y, riez!»
dit-elle. «Mais pouvez-vous
nous dire comment nous
sommes arrivés là-haut?»
leur demanda-t-elle.

«Vous y êtes peut-être arrivés en volant!»
plaisantèrent les corbeaux.

Timothée se mit à sauter de joie. «Mais oui!
Dumbo! Tu peux voler! Tu peux utiliser tes
oreilles comme des ailes!»

Dumbo doutait fort qu'il puisse voler.

Les corbeaux décidèrent de les aider.
Ils offrirent une plume à Dumbo. «C'est
une plume magique», lui dirent-ils.
«Elle t'empêchera de tomber».
Ils conduisirent le petit
éléphant au bord
d'une haute
falaise.

Dumbo ferma les yeux, battit des oreilles et sauta. Les corbeaux avaient raison! Il *pouvait* vraiment voler!

«On aura tout vu!» dirent les corbeaux en riant.

«Les gens du cirque n'en croiront pas leurs yeux!» s'écria Timothée.

Ce soir-là, Dumbo
sauta du haut
de l'édifice en
flammes.

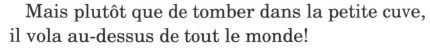

Mais plutôt que de tomber dans la petite cuve,
il vola au-dessus de tout le monde!

Dumbo était une grande vedette!

Le maître de piste laissa Jumbo sortir de sa
cage. Dumbo vint se blottir contre sa maman et
Jumbo serra son petit tendrement contre elle.

Et c'est ainsi que jamais plus personne ne se
moqua des oreilles de Dumbo.